Cuentos zen

POR JON J MUTH

SCHOLASTIC INC.

New York Toronto London Auckland Sydney
Mexico City New Delhi Hong Kong Buenos Aires

AGRADECIMIENTOS

Aunque hice lo posible por entorpecer el paso, Dianne Hess y David Saylor, mis grandes amigos, despejaron el camino una vez más.

Ofrezco mi humilde agradecimiento a Rafe Martin y Jack Kornfield, grandes narradores de cuentos, por su inspiración.

Gracias a B, N, A y a Karl, el miembro más joven de mi equipo de modelos.

A todas las fuentes primarias de los cuentos zen les ofrezco un muy respetuoso saludo *gassho*.

A BALLARD BORICH

el panda gigante a quien tantas veces he sorprendido bailando en mi porche

—¡MIGUEL! ¡Hay un oso afuera! —dijo Carlos.

—¿Un qué? —preguntó Miguel.

—Un oso. Es muy grande. Está en el jardín.

—¿Qué hace? —preguntó Miguel.

—Está sentado —dijo Carlos—. Tiene una sombrilla.

—¿Una sombrilla?

Los chicos salieron al jardín y vieron que su hermana, Alicia, estaba hablando con el oso.

—Disculpen que haya llegado de improviso —dijo el oso—.

El viento pasó por mi jardín, se llevó mi sombrilla y la trajo hasta su jardín.

Me pareció que debía recogerla antes de que los incomodase.

El oso hablaba con un ligero acento de panda.

Miguel se presentó. Después Alicia presentó a Carlos porque Carlos era un poco tímido con los osos que no conocía.

Y así fue como Alicia, Miguel y Carlos conocieron a Aguaserena.

Al día siguiente, Alicia fue a tomar el té con Aguaserena.

—Hola —dijo Alicia al entrar en la casa.

—¡Entra! ¡Entra! —se oyó una voz distante.

—Quiero decir... —continuó la misma voz—. ¡Sal! ¡Sal!

Aguaserena estaba en el jardín.

Estaba metido en una tienda de campaña.

—Me la regaló mi tío Ry por su cumpleaños —dijo Aguaserena—. A él le gusta hacer regalos para celebrar el día en que nació. Estoy tan contento aquí, que he dejado mi casa por un tiempo.

Aguaserena invitó a Alicia a sentarse a su lado.

—¡Trajiste pastel! —dijo Aguaserena—. Eres muy amable. ¿Es tu cumpleaños?
—preguntó.

—No —dijo Alicia.

—Tampoco es el mío —dijo Aguaserena—. Pero te daré un regalo en honor al
cumpleaños de mi tío. Voy a contarte un cuento.

Tío Ry y la Luna

Mi tío Ry vivía solo en una casa en las montañas. No tenía muchas pertenencias. Vivía de una manera muy sencilla.

Una tarde, se dio cuenta de que tenía visita. Un ladrón había entrado a hurtadillas e inspeccionaba las pocas pertenencias que había en la casa.

El ladrón no vio a mi tío Ry. Cuando este dijo "Hola", el ladrón casi se cae del susto.

Mi tío sonrió y le dio la mano al ladrón.

—¡Bienvenido! ¡Bienvenido! ¡Me alegra mucho que haya venido a verme!

El ladrón abrió la boca para hablar, pero no supo qué decir.

Como Ry nunca deja que nadie se vaya de su casa con las manos vacías, buscó en la cabaña algo para regalarle al ladrón. Pero no encontró nada. El ladrón se acercó a la puerta. Quería marcharse.

En ese momento, tío Ry supo lo que debía hacer.

Se quitó su bata vieja, la única que tenía, y dijo:

—Tenga. Por favor, acepte esto.

El ladrón pensó que mi tío estaba
loco. Agarró la bata, salió disparado
por la puerta y se perdió en la
noche.

Mi tío se sentó y miró la Luna.
Desplegaba su luz plateada sobre las
montañas, haciendo que todo se
viera bello y tranquilo.

—Pobre hombre —se lamentó
mi tío—. Solo pude darle mi vieja
bata. Ojalá pudiera ofrecerle esta
Luna maravillosa.

—Tu tío debe de ser muy amable —dijo Alicia—. Creo que yo no habría regalado mi única bata.

—Te entiendo —dijo Aguaserena—. Pero recuerda que siempre tendremos la Luna.

—Me gustó tu cuento —dijo Alicia.

—Gracias —dijo Aguaserena—. A mí me gusta este pastel.

—Gracias —dijo Alicia—. Lo hice yo.

Al día siguiente, Miguel fue a visitar a Aguaserena.

—¡Estoy aquí! —dijo Aguaserena desde un árbol.

—¿Puedo subir? —preguntó Miguel.

—Sí, pero ten cuidado —contestó Aguaserena.

—¿Qué pasaría si pudiéramos volar? —dijo Miguel.

—Podríamos jugar a hacer sombras en las nubes —dijo Aguaserena.

—¿Y qué pasaría si nos cayéramos? —dijo Miguel.

—Si nos cayéramos, romperíamos algo —dijo Aguaserena.

—Eso nos metería en problemas —dijo Miguel.

—Puede ser —dijo Aguaserena.

—¿Puede ser? —preguntó Miguel.

La suerte del granjero

HABIA UNA VEZ un granjero anciano que llevaba muchos años labrando la tierra.

Un día, su caballo se escapó. Al oír la noticia, los vecinos fueron a verlo.

—Qué mala suerte —dijeron, apiadándose de él.

—Puede ser —contestó el granjero.

A la mañana siguiente, el caballo regresó. Otros dos caballos salvajes venían con él.

—¡Qué buena suerte! —exclamaron los vecinos.

—Puede ser —contestó el granjero.

Al día siguiente, su hijo intentó cabalgar sobre uno de los caballos salvajes, pero el caballo lo tiró al suelo y el muchacho se rompió una pierna.

De nuevo, los vecinos fueron a ofrecerle consuelo por su desgracia.

—Qué mala suerte —dijeron con lástima.

—Puede ser —contestó el granjero.

Al día siguiente, unos militares fueron al pueblo. Buscaban jóvenes que pudieran alistarse en el ejército y luchar en la guerra. Al hijo del granjero no lo seleccionaron porque tenía la pierna rota.

—¡Qué buena suerte! —exclamaron los vecinos.

—Puede ser —contestó el granjero.

—Ya lo entiendo —dijo Miguel—. Quizá la buena suerte y la mala están mezcladas. Nunca se sabe qué va a pasar después.

—Sí —asintió Aguaserena—. Nunca se sabe.

Al día siguiente, Carlos fue a visitar a Aguaserena.

—Miguel dijo que no podía traer tantas cosas para nadar. Estoy enojado con Miguel. Siempre me dice lo que tengo que hacer. ¡Así que lo traje todo!

—Ummm —dijo Aguaserena—. Es una piscina muy pequeña. No sé si cabrá todo.

—¡Vamos a ver! —dijo Carlos.

—Vamos a ver —dijo Aguaserena.

Aguaserena miró la piscina.

—Las cosas pueden nadar, pero nosotros no —dijo.

—Traje demasiadas cosas —dijo Carlos.

—No te preocupes —dijo Aguaserena—. Te ayudaré a llevarlas de vuelta.

—¿Por qué Miguel tiene que decirme siempre lo que tengo que hacer? —preguntó Carlos.

—Si estuviera aquí, treparía muy alto...

y saltaría encima de él...

y lo asustaría ¡MUCHÍSIMO!

Más tarde, Carlos y Aguaserena se sentaron a tomar té.

—Carlos —dijo Aguaserena—, pasaste todo el día enojado con Miguel. ¿Viste cuánto nos divertimos?

Carlos observó el humo que salía de su taza.

—Siento haber traído tantas cosas —dijo Carlos.

—No tienes que disculparte —dijo Aguaserena—.
Ahora tendrás que cargarlas todo el camino.
Te contaré un cuento. No te sueltes.

Una carga pesada

UNOS MONJES viajeros llegaron a un pueblo y vieron a una joven que esperaba de pie sobre su litera. La lluvia había formado grandes charcos en la calle, por lo que no podría cruzar al otro lado sin estropear su kimono de seda. Desde su litera, miraba impacientemente y regañaba a sus sirvientes. Como ellos no tenían dónde poner los paquetes que ella les había encomendado, no podían ayudarla a cruzar los charcos.

El monje más joven vio a la muchacha, pero no dijo nada y siguió caminando. El monje más viejo la levantó, la cargó sobre su espalda, la cruzó hasta el otro lado y la dejó en el suelo. Ella no le dio las gracias. Apartó al monje con un empujón y se fue.

Los monjes siguieron su camino. El más joven, sin embargo, no podía dejar de pensar en lo sucedido. Al cabo de unas horas, habló:

—Aquella muchacha era muy egoísta y maleducada, pero usted la levantó y la cargó en la espalda. ¡Y ella ni siquiera se lo agradeció!

—Yo solté a esa muchacha hace
muchas horas —contestó el monje
más viejo—. ¿Tú por qué sigues
cargándola?

—¿No crees que ya has cargado tus cosas por mucho tiempo? —preguntó Aguaserena.

—Sí —dijo Carlos.

—Adiós —dijo Aguaserena.

Y así fue como Alicia, Miguel, Carlos y Aguaserena se hicieron amigos.

Nota del autor

¿QUÉ ES ZEN?

Zen es una palabra japonesa que quiere decir meditación. En la tradición budista zen, las enseñanzas de Buda siempre se han pasado de maestros a alumnos.

El método de meditación de Buda consiste en quedarse sentado, inmóvil pero alerta, dejando que pase un pensamiento y luego otro, sin retenerlos.

Cuando miras una piscina llena de agua y el agua no se mueve, puedes ver el reflejo de la Luna. Si tocas el agua, el reflejo se rompe en pedazos. Es más difícil ver la verdadera Luna. Nuestras mentes son así. Cuando nuestras mentes se agitan, no podemos ver el mundo verdadero.

El nombre de Aguaserena refleja ese pensamiento. Su personaje está basado en el artista y maestro zen SENGAI GIBBON (1750-1838), cuyas ilustraciones solían utilizarse como materiales educativos. Él era muy famoso porque tenía una manera de enseñar poco ortodoxa y llena de humor. Tío Ry está inspirado en RYOKAN TAIGU (1758-1831), uno de los poetas japoneses más queridos.

Los cuentos zen son meditaciones cortas, ideas que invitan a reflexionar, elementos que nos ayudan a actuar con intuición. No tienen objetivo, pero a veces nos hacen recapacitar sobre nuestros hábitos, deseos, conceptos y miedos.

Los cuentos "Tío Ry y la Luna" y "La carga pesada" vienen de la literatura budista zen que ha ido transmitiéndose de generación en generación durante siglos. El cuento "La suerte del granjero" tiene sus raíces en el taoísmo, que tiene una antigüedad de miles de años. Hay muchas versiones de estos cuentos. Elegí los que me parecían más apropiados para una audiencia joven.